The Glasgow GRUFFALO'S WEAN

Julia Donaldson

Illustrated by Axel Scheffler

Translated intae Glaswegian by Elaine C. Smith

Itchy Coo

The Gruffalo said that nae gruffalo should
Ever set fit in the scary big wood.
"How no? How no?" said the Gruffalo's Wean.
"Cos errza Big Bad Moose… that's aw ah'm sayin.
Ah did meet him wance," sez the bold Big G,
"It wiz pure ages ago but whit a sight tae see."

"How, whit did he look like, Da – tell us the noo.
Diz he go iz dinger? Is he missin a screw?"

Big G scratched iz napper, an rubbed at iz jaw.
"I cannae remember whit happened at aw,

"But I'll tell ye this, hen, eez pure big an strong,
Wi a big scabby tail that's dead, dead long.

Iz eyes are the size ae a giant bonfire,
An iz whiskers are jaggy like auld barbed wire."

So wan wintry night when Big G wiz snorin,
The wee Barra hinks...this is totally borin.

Noo, wee G, the wean, wiz pure gallus an tough,
So she daunered right oot, no gien a stuff.
It wiz blowin a gale an snowin as well,
But that didnae stoap her gaun aff by hersel.

Haud oan, she thought, whitzat in the snow?
Who's made this trail an where diz it go?
A big tail poked oot ae a wee log cabin.
"Haw, is this the tail ae the Moose fur grabbin?"

Oot slid a beast, but iz eyes wur toatie,
An nae whiskers tae... Right then, okey dokey!

"Are you the Bad Moose?" *"No me,"* sez the snake.
"Eez doon by the Clyde, eatin Gruffalo cake."

"Awright, awright, cool yer jets," sez the wean.
Anen the snow an the wind started howlin again.

Haw, haud oan a minute tho, whitzat in the snow?
Big claw marks — but where dae they go?
She looked up an saw a high-rise treehoose,
An clocked two giant peepers. Is this the Bad Moose?

The beast flew doon anen sat oan its bum.
Nae whiskers, nae tail, an a feathery tum.

"Eh, haud the bus, you're no the moose," sez wee G.
"Naw! He's probly nicked oot fur a gruffalo tea."

"Awright, fair do's," sez the Gruffalo's Wean,
But the snow an the wind wur howlin again.

Aw, haud the phone, whitzat in the snow?
Ah bet that's him noo, but where did he go?
Look! Whiskers tae, an an underground gaff!
This must be the place – or sumdy's havin a laff.

The creature slunk oot, but iz eyes wurnae fiery,
Iz tail wiznae scaly, an iz whiskers no wiry.

"Ach, you're no the Moose." *"Ye're right, I'll no lie.*
He'll be under a tree wi a gruffalo pie."

"They're pure taen a lenna me," gret the Gruffalo's Wean.
She sat doon oan a stump. It wiz snowin again.
"I'm tellin yeez noo, there's nae Big Bad Moose…

"But who's that wee bauchle saunterin oot ae his hoose?
He's no big, no scary, but a moose at least –
An he'll taste dead good fur ma midnight feast."

"Haw, haud oan there, china," sez the moose tae wee G,
"Errza big pal ae mine I'd like ye tae see.
I'll jist shout oan ma mate, eez big an eez bad.
Let me up oan this stick an I'll show you his pad."

The Gruffalo's Wean let him oot fae her fist.
"Awright, gonnae prove that the Moose diz exist?"
The wee moose jumped up oan a branch ae the tree.
"That's whit ah'm tellin ye — jist wait an see."

Anen oot came the moon, pure huge an dead bright,
An it cast a big shadow – a real scary sight.

Who's this big beast? Ginormous an strong,
An his tail an whiskers are dead, dead long.
His ears are gigantic, an oan tap ae his shoulder
Is a nut the size ae a massive great boulder.

"The Big Bad Moose!" screamed the Gruffalo's Wean.
The moose jist smiled an jumped doon again.

Aw, wait! Whit are thae paw prints in the snow?
C'moan, we'll check them oot an see where they go.

The paw prints went right tae the hoose ae Big G,

Where the wee yin was over the moon tae be.

Nae merr wiz the Gruffalo's Wean dead bored…

An the Gruffalo snored
an snored an snored.

For Stella

First published 2021 by Itchy Coo
Itchy Coo is an imprint and trade mark of James Francis Robertson and Matthew Fitt and
used under licence by Black & White Publishing Limited

Black & White Publishing Ltd
Nautical House, 104 Commercial Street, Edinburgh, EH6 6NF

1 3 5 7 9 10 8 6 4 2   21 22 23 24

ISBN: 978 1 78530 342 5

Originally published as *The Gruffalo's Child* by Macmillan Children's Books in 2004
Text copyright © Julia Donaldson 2004
Illustrations copyright © Axel Scheffler 2004
Translation © Elaine C. Smith 2021

A CIP catalogue record for this book is available from the British Library.

Printed in China